Histoires à raconter pour les **petits**

Histoires pour bien dormir

FLEURUS

Illustration de couverture : Caroline Modeste
Direction : Guillaume Arnaud
Direction éditoriale : Sarah Malherbe
Édition : Anna Guével, assistée de Lucie Pouget
Direction artistique : Élisabeth Hebert assistée d'Amélie Hosteing
Mise en pages : Sophie Boscardin
Fabrication : Thierry Dubus, Anne Floutier
© Fleurus, Paris, 2010, pour l'ensemble de l'ouvrage.
Site : www.fleuruseditions.com
ISBN : 978-2-2150-4919-7
MDS : 651 360
N° d'édition : 10090

Histoires à raconter pour les
petits

Histoires
pour bien dormir

Fleurus

Sommaire

Un ami pour la nuit

« Lola, viens te coucher ! » appelle son papa, à l'entrée
du terrier.
Lola la petite marmotte ne veut pas aller dormir.
Dehors le jour est encore là, tous ses amis s'amusent
dans la montagne. Dans le terrier, il fait tout sombre.
Et Lola a peur du noir…

« Attends, papa, je joue avec Julie », crie Lola. Elle saute
quelques mètres derrière son amie la grenouille, hop !
par-dessus les cailloux, hop ! par-dessus le chardon, hop !
par-dessus la petite flaque, hop !

« Papa, est-ce que Julie peut venir dormir à la maison ?
Tu sais bien que j'ai peur toute seule dans le noir,
demande Lola.
– Non, répond papa, vous êtes trop agitées.
Viens te coucher. »

Lola se sauve un peu plus loin. Elle se cogne contre
Tommy l'ourson qui dort sous un sapin.
Elle escalade la fourrure douce et fait une galipette
sur son dos. Youpi !

« Papa, est-ce que Tommy peut venir dormir à la maison ?
crie Lola. J'aurai moins peur du noir avec lui.
– Non, répond papa, Tommy est trop gros pour entrer
dans notre terrier. Maintenant viens te coucher. »

César
Le petit poisson

Lola est toute seule dans son lit. Il fait tout noir.
La petite marmotte voudrait bien avoir un ami avec elle,
ou une toute petite lumière…

Un insecte s'approche doucement.

« Qui es-tu ? demande Lola. Si mon papa te voit, il va
se fâcher…

– Au contraire, c'est lui qui m'a dit de venir.

Je suis Luciole le ver luisant. Regarde… »

Et en disant ces mots, Luciole allume la petite ampoule
qui est au bout de son ventre.

Lola est ravie : la petite lumière est toute douce
et Luciole est très gentil.

Elle se blottit contre lui, mais chut… elle s'est endormie.

Demain, c'est sûr, Lola n'aura plus peur de la nuit !

La révolte des moutons

Dans le Pays des rêves, chaque soir, c'est le même rituel.
« Un mouton, deux moutons… »
Lorsqu'un enfant a du mal à s'endormir, il compte
les moutons qui sautent par-dessus une barrière.
Frisou, le chef du troupeau, n'en peut plus !

Il se plaint auprès de la Fée du Sommeil.
« Mes moutons et moi, nous sommes épuisés !
– Je veux bien vous accorder quelques nuits de repos,
dit la fée. Mais je te charge de trouver d'autres animaux
pour vous remplacer. »
Aussitôt dit, aussitôt fait, Frisou part à la recherche
de volontaires pour sauter par-dessus la barrière.
Une meute de chiens acceptent tout de suite.

« Les enfants ne doivent se rendre compte de rien,
explique Frisou. Voici des couvertures en laine blanche
à mettre sur vos dos. »
Le soir venu, les chiens déguisés en moutons sautent
les uns après les autres, mais, catastrophe, ils ne peuvent
s'empêcher d'aboyer !
Les enfants, effrayés, se mettent à pleurer !

« Nous allons demander aux ânes de nous remplacer.
Eux au moins, ils sont silencieux ! » dit Frisou.
Mauvaise idée ! Les ânes sont de gros paresseux et
au dernier moment, ils refusent de sauter. C'est un vrai
embouteillage ! Les enfants n'arrivent plus à compter !
La Fée du Sommeil finit par s'énerver.
« Laisse-nous une dernière chance ! Les cochons
acceptent de se déguiser ! supplie Frisou.

– Les cochons ? Ils vont se rouler dans la boue
et grogner ! »
Frisou a compris. Les enfants ont besoin de lui
et de son troupeau.

« Rien n'est plus doux qu'un mouton pour les aider
à s'endormir paisiblement », ajoute la fée.
Frisou se sent flatté. Le soir même, il rassemble
son troupeau.

« Bonne nouvelle ! La Fée du Sommeil a raccourci
la hauteur de la barrière. Nous serons moins fatigués.
Alors, prêts à sauter, les moutons ? »
Et cette nuit-là, les enfants s'endorment très vite,
heureux d'avoir retrouvé leurs moutons préférés !
Chut !

La formule anti-cauchemars

La nuit est sombre, au cœur de la forêt. Comme tous
les soirs, dans la chaumière, Aurore se recroqueville
au fond de son lit. Elle déteste ce moment où elle doit
s'endormir.

Ses parents ont beau lui faire mille câlins pour la rassurer,
Aurore a peur de faire des cauchemars.

Hier, elle a rêvé qu'une vilaine sorcière la transformait
en statue de glace.
Cette nuit-là, elle rêve qu'une araignée géante se faufile
par la cheminée !

Elle se réveille en sursaut. Dehors, le vent souffle fort et
la pluie fouette les carreaux. Soudain, sous le grand chêne,
Aurore aperçoit un lutin tout grelottant.

« Ohé ! Entrez vous réchauffer, lui crie-t-elle.

– Ça, c'est gentil, dit le lutin. Mais pourquoi ne dors-tu pas ?

– J'ai encore fait un cauchemar, avoue Aurore.

– Vraiment ? Tiens, pour te remercier, je te confie
ma formule magique anti-cauchemars : "Akabi bakaba,
cauchemi-cauchema, vatenti vatenla !" »
Aurore est ravie : grâce au lutin, la voilà rassurée,
elle peut enfin s'endormir.
Hélas, la nuit suivante, elle ne se rappelle plus la fameuse
formule. Et le lutin a disparu.

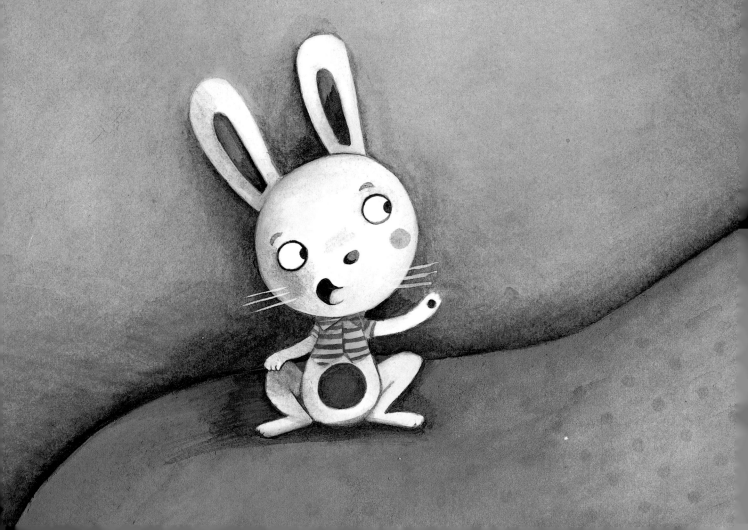

La fillette est catastrophée. Quand tout à coup, quelque
chose remue derrière sa malle à habits.
Un petit lapin des bois surgit.
« Je suis désolé de t'avoir effrayée, chuchote-t-il.
Hier, je suis entré par la cheminée pour me protéger
de la pluie. Et j'ai entendu le lutin. Je peux t'aider,
je me rappelle très bien la formule. »

Et il la récite aussitôt :
« "Akabi bakaba, cauchemi-cauchema, vatenti vatenla !"
Dis, je peux dormir avec toi ?
J'ai un peu peur tout seul. »
La nuit est calme, au cœur de la forêt.
À partir de ce soir-là, Aurore fait de très beaux rêves…
et le lapin aussi.

Les bisous magiques de Mario

Mario ne peut pas dormir. Il se retourne sans arrêt
dans son lit, et il pense : à sa mamie qui lui manque,
à son papa qui habite dans une autre ville, à son copain
Éric qui a déménagé.

« Zut, zut, zut », ronchonne Mario.

Toc, toc, toc… Il y a un petit bruit près de la fenêtre.
Mario se lève : c'est un elfe qui l'appelle derrière la vitre.
« Tu as dit zut-zut-zut, je peux t'aider ? demande
le petit elfe qui bat doucement des ailes.

– Je voudrais voir ma mamie qui habite Nantes », rêve
Mario. Aussitôt des petites ailes lui poussent dans le dos.
Il devient transparent et il s'envole au-dessus de la Loire,
accompagné de l'elfe.

Sa grand-mère est en train de lire, assise dans son lit.
Mario lui fait un petit bisou et mamie bâille, pose
son livre, et s'endort sur l'oreiller. Sur la table de nuit,
il y a une carte postale que Mario lui a envoyée cet été.

« Maintenant, je voudrais voir mon papa,
en Normandie », dit Mario. Avec le petit elfe, il vole
vers le nord et se rapproche de la mer. Son papa est en
train de travailler sur un ordinateur. Sur l'écran,
il y a une photo de Mario. Le petit garçon fait un bisou
à son papa qui éteint l'ordinateur, s'assoit sur le canapé,
et s'endort tout habillé.

Cette fois, Mario et le petit elfe s'envolent vers Paris.
Éric habite un immeuble très haut. Il est en train de faire
tourner dans ses mains le ballon de foot que Mario lui
a donné avant son départ. Mario se faufile par la fenêtre,
embrasse son ami qui s'endort, la joue contre le ballon.

Mario est fatigué d'avoir tant volé. Le petit elfe le porte
sur son dos jusqu'à son lit, le borde et lui fait un petit
bisou. Mario s'endort heureux : il a revu tous ceux
qu'il aime et il sait qu'ils pensent à lui.

Une nuit sans Dodokali

Le soleil se couche sur la savane.
C'est l'heure d'aller dormir pour le petit prince Tongaï.
Accompagné de Nabila, sa nounou, il traverse l'immense palais en gambadant.
Au passage, il taquine les gardes en jouant du tam-tam sur leurs boucliers.

Mais une fois dans sa chambre, Tongaï est surpris :
son Dodokali n'est pas dans son lit !
D'habitude, son petit animal tout doux est sur
son oreiller et l'attend.
« Où es-tu passé ? Tu t'es caché ? » demande le prince
amusé.

Mais Tongaï et Nabila ont beau chercher parmi
la montagne de jouets, Dodokali est introuvable.
« On me l'a volé ! rugit le prince. Je veux qu'on
le retrouve ! Je ne peux pas dormir sans lui. »
Aussitôt la reine fait fouiller entièrement le palais.
Hélas, Dodokali a disparu.

« Peut-être est-il parti se promener ou croquer
des fruits ? » suggère Nabila.
Du haut de la terrasse, tous deux examinent les alentours
du palais. La nuit est sombre et le ciel étoilé est immense.
Comme Tongaï se sent triste tout à coup !
Des larmes picotent ses yeux.

Pour l'apaiser, Nabila lui raconte son histoire préférée…
quand soudain une lionne surgit à leurs pieds.
« Ne tremblez pas, murmure le fauve. Je viens
vous avertir que Dodokali s'est réfugié chez moi,
tout chagriné. Il en a assez que le prince l'oublie toute
la journée seul dans la chambre et ne s'intéresse à lui
que pour s'endormir. »

Ouf, Tongaï est soulagé : Dodokali a été retrouvé !
Depuis ce jour, le petit prince le promène partout
avec lui et le couvre de câlins.
Et le soir Dodokali, ravi, couché tout doux contre
sa joue, l'aide à s'endormir…

Qui a volé le sable du marchand de sable ?

Le soleil se couche.

Dans son salon, le marchand de sable se prépare.

Il met son grand manteau et enfonce son bonnet sur sa tête. Au milieu des nuages, il ne fait pas toujours chaud ! Hop !

Il file au grenier chercher son sable magique.

Catastrophe ! La pièce est vide !

Le marchand de sable lève ses grands bras en l'air :
« Mes sacs de sable ont disparu ! Comment vais-je
endormir les enfants ? »
Il descend quatre à quatre les escaliers et va
chez sa voisine, la petite souris.
« Toc, toc, petite souris, ouvre-moi ! On m'a volé
mon sable ! »

La petite souris range ses pièces d'or dans son joli coffre.
« Calme-toi. Qui sait que tu caches tes sacs de sable dans
ton grenier ?
– Tu es la seule à être au courant ! Oh ! la, la ! la nuit
tombe ! » se lamente le marchand de sable.

La petite souris tortille ses petites moustaches et s'écrie soudain : « Mais oui, bien sûr ! Mes neveux mulots sont en vacances chez moi ! Je les ai surpris l'autre jour en train de t'espionner ! Mon petit doigt me dit qu'ils ont dû faire une bêtise ! »

La petite souris et le marchand de sable appellent
les mulots. Ils les cherchent dans leur chambre,
dans la cuisine, personne !
Au fond du jardin, ils les découvrent enfin, paisiblement
endormis, au pied d'un magnifique château de sable !
Le marchand se précipite : « Mon sable magique ! »

La petite souris ramasse les pelles et les seaux.
« Ils ont voulu transformer le jardin en plage !
Les voilà bien attrapés ! Ils ne sont pas près de se réveiller
avec tout ce sable magique ! »

Le marchand de sable charge vite ses sacs sur son nuage
magique. Il est l'heure de commencer sa tournée !
Cette nuit-là, les enfants s'endorment comme
d'habitude, mais à leur réveil, sur leur oreiller,
ils découvrent émerveillés de minuscules coquillages,
comme à la plage !

Photogravure : Alliage
Achevé d'imprimer en août 2010 par Book Partners (Chine)
Dépôt légal : septembre 2010